U0939876

此曲只應天上有
人間能得幾回聞

——杜甫《贈花卿》

合作單位:
敦煌研究院
北京大學圖書館
北京大學國際合作部

策劃: 江溶 喬征勝 劉方
學術顧問: 季羡林 樊錦詩 榮新江
藝術顧問: 梁楝
主編: 陳雅丹
配詩: 江溶
裝幀設計: 孫蘭風
圖片攝影: 敦煌研究院孫志軍
監制: 戴龍基

敦煌交響

紀念藏經洞發現暨敦煌學一百周年藏書票

北京大學出版社

二〇〇〇年 · 北京

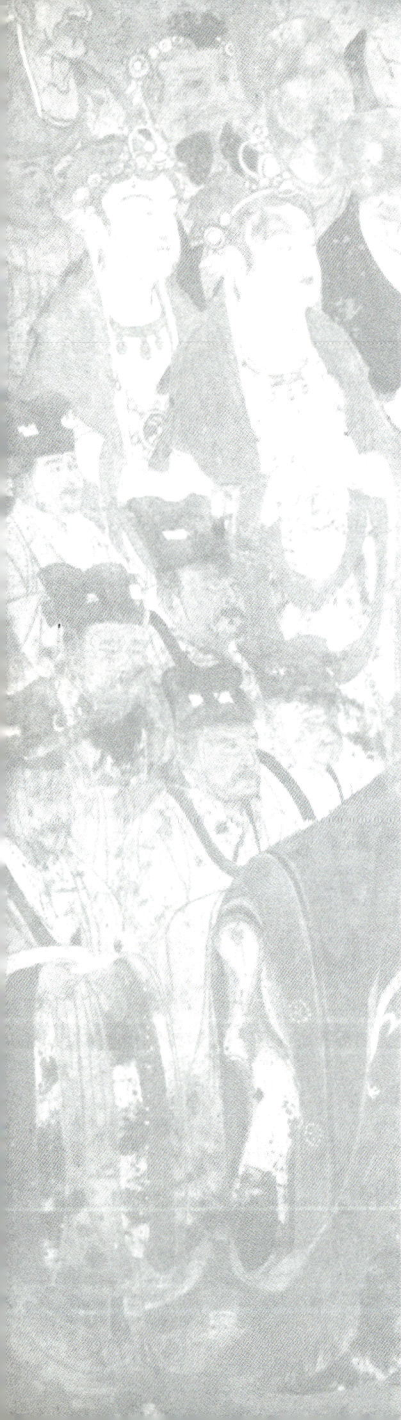

目　録

題辭　　季羡林　1

序曲　走近敦煌　2

昨天的召喚　九　丹　5

第一樂章　三危佛光　横空出世　6

三危佛光　梁　楝　9

第二樂章　絲路花雨　八面來風　10

有容乃大　李建平　13

八面來風　邵明江　15

馬背情懷　李小然　17

第三樂章　佛國人間　氣象萬千　18

人間天上　羅雪村　21

静觀世音　王金旭　23

天上人間　陳雅丹　25

第四樂章　遺書萬卷　石破天驚　26

滄桑歲月　董紅雨　29

尾聲　永恒的聖光　30

明天的憧憬　張桂林　33

跋　讀敦煌　仰止　34

中华瑰宝
宇宙奇观

季羡林题

北京大學教授、中國敦煌吐魯番學會會長季羡林爲本書題辭

古老的傳說

逝去的輝煌

珍貴的遺產

序曲：走近敦煌

迎着新世紀的曙光、
我走近你，敦煌！
傾情體悟你的豐采、
以心撫摸你的滄桑、
驀然間、
我的胸中，升騰起
一個深沉的旋律
一個磅礴的樂章——
這是中國先民的五彩夢境
和偉大創造力的交響；
這是中原皇天后土、溫柔敦厚
和塞外大漠秋風、長河落日的交響；
這是中國先民走向世界的足音
和天竺梵鐘、波斯駝鈴、希臘天國的交響；
這是中華民族五千年光榮
和近代失落、恥辱與奮發的交響；
這是人類昨天、今天
和更加美好的未來的交響……
呵，敦煌——
人類千古不朽的絕唱！

俯瞰敦煌

沙的 旋律
月牙琴聲
近讀敦煌

昨天的召喚

藏書票設計: 九丹　版種: 絲網版 S1　尺寸: 7.5 × 9.9 (cm)

觀無量壽經變局部（盛唐）45窟

千佛（北魏）263窟

新樣文殊變（五代）220窟

第一樂章　三危佛光　横空出世

上千個洞窟，
幾萬米壁畫，
負載着古代人類的浩瀚智慧，
鎸刻着中華民族的偉大信仰……
呵，鳴沙山，
你是人類精神長河中
一艘多么壯觀的航空母艦；
呵，莫高窟，
你是東方地平綫上
一道何等燦爛的人文景觀！
自十六國、北魏、西魏、北周，
經隋、唐而至宋、元，
爲了你的横空出世，
中國先民鍛造了一千三百多年！
耐人尋味的是，
這樣一個千秋偉業，
竟肇始于三危山的一片“佛光”，
和一個四海雲游的樂僔和尚！
是人意？是天意？
是必然？是偶然？
——人類心中原有一炷聖火，
生生不息，
代代相傳；
造神的路，
遠比去天堂的路要長遠……

敦煌雄姿

華嚴經十地品變相圖（敦煌絹畫）

供養菩薩（北涼）272窟

不空羂索觀音像（敦煌絹畫）

三危佛光

藏書票設計：梁棟　版種：木版水印 X1　尺寸：9.3 × 7.1(cm)

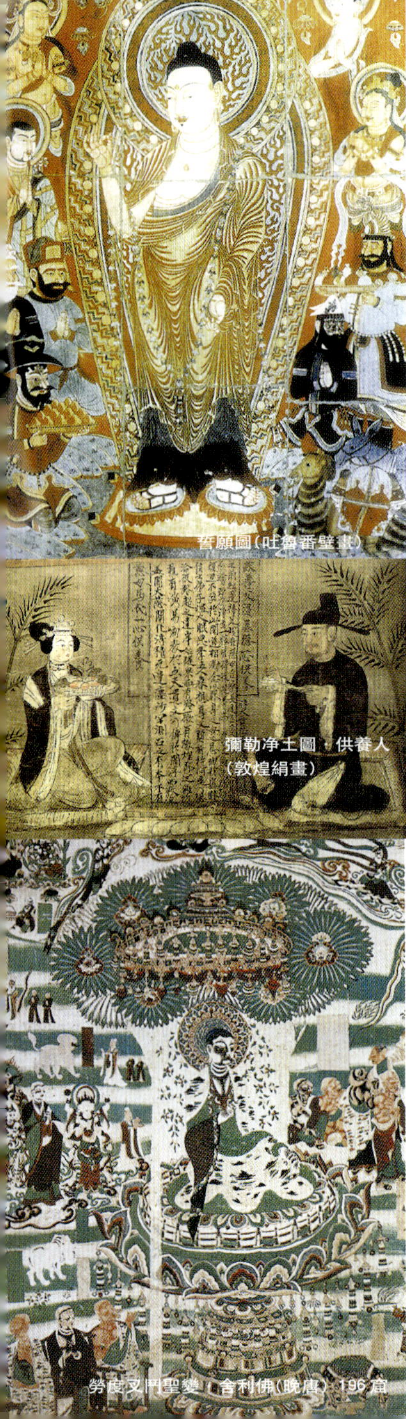

誓願圖（吐魯番壁畫）

彌勒淨土圖・供養人（敦煌絹畫）

勞度叉鬥聖變・舍利佛（晚唐）196窟

第二樂章　絲路花雨　八面來風

呵，敦煌，你真幸運，
歷史曾對你這樣慷慨——
絲路爲媒，
飛天剪彩，
你廣袤的沙漠和黄土地，
成了古代四大文明迷人交匯的舞臺！
你也没有辜負歷史的厚待，
漢唐風範你是表率——
四海賓朋座上客，
八面來風盡入懷。
拿來，
拿來，
以我爲主，
慧心熔裁……
答謝歷史一個文化寶庫，
取之不盡，
用之不竭；
回贈世界一座藝術殿堂，
敦煌作風，
中國氣派！

絲路駝鈴

菩萨（西域雕刻）

菩萨（隋）412窟

天王（盛唐）194窟

有容乃大

藏书票设计：李建平　版种：木版油印 X1　尺寸：10.8 × 8.5(cm)

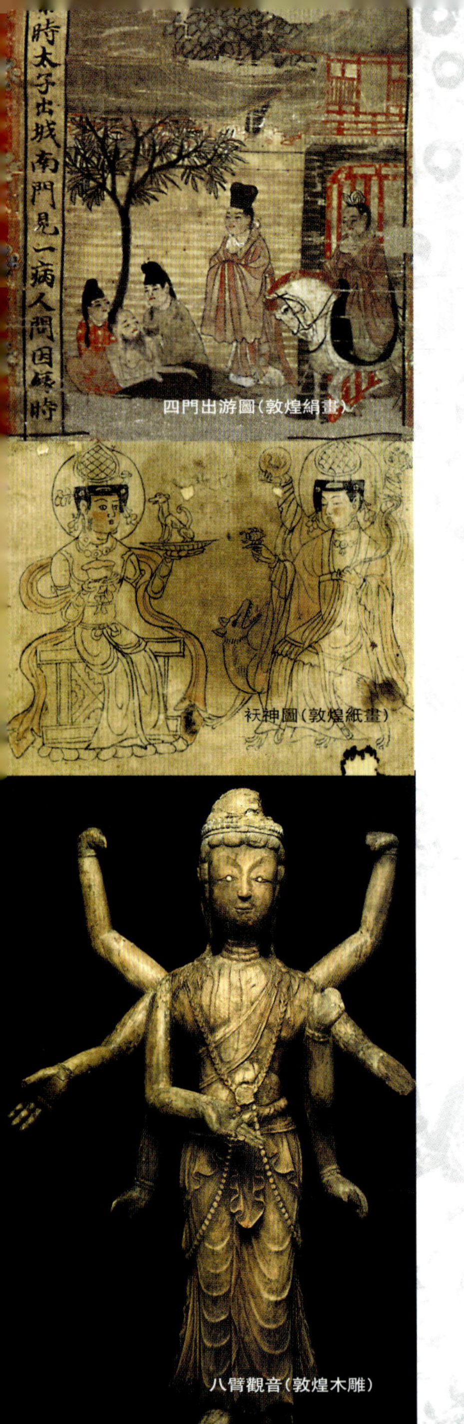

四門出游圖（敦煌絹畫）

祆神圖（敦煌紙畫）

八臂觀音（敦煌木雕）

八面來風

藏書票設計：邵明江　版種：木版油印 X1　尺寸：6.8 × 10.6 (cm)

狩獵(西魏) 249窟

狩獵(西魏) 285窟

作戰(西魏) 285窟

馴馬(北周) 290窟

馬背情懷

藏書票設計：李小然　版種：木版水印 X1　尺寸：7.3 × 8.4(cm)

文殊變局部·聖衆（西夏）榆林三窟

說法圖（西魏）288窟

十一面觀音（宋）76窟

第三樂章　佛國人間 氣象萬千

呵，敦煌，
走進你那一個個燦爛的石窟，
猶如推開一扇扇佛國的大門！
遥想當年，
西天盛會，仙樂陣陣，
我佛説法，花雨紛紛……
這佛國門檻前，
曾跪倒過多少造神的人！
而今，我來佛國探勝，
静静的，静静的，
只有尋美者無聲的叩問。
久久凝視净土的華美，
我分不清哪是人間的烟火
哪是天上的星辰；
輕輕觸摸神佛的體温，
我説不准那是人格化的菩薩
還是菩薩化的人？
漸漸地，漸漸地，
“美”的震撼使我幸福地顫慄，
伴隨而來的是“善”的洗禮，
“真”的拷問！
莫非，美是真和善的葉，
真和善乃美之根？
也許，這就是永恒的藝術，
藝術之永恒？
那么，我們可敬的前人，
又是怎樣創造了這真善美，
這永恒的藝術，這藝術的永恒？

阿彌陀經變（初唐）220窟

須摩提女緣品局部・比丘赴會(北魏) 257窟

法華經變局部・藥草喻品(盛唐) 23窟

供養菩薩(西魏) 285窟

人間天上

藏書票設計：羅雪村　版種：絲網版 S1　尺寸：8.2 × 7.8(cm)

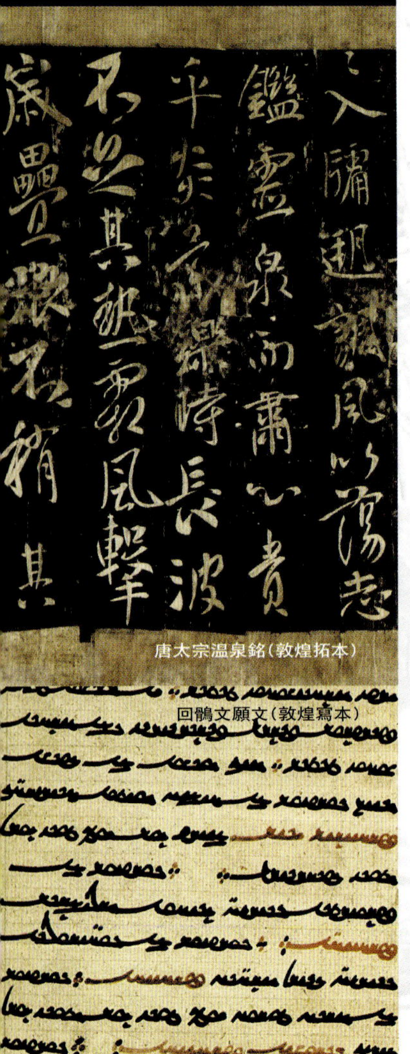

敘利亞文聖經詩篇（敦煌寫本）

唐太宗溫泉銘（敦煌拓本）

回鶻文願文（敦煌寫本）

静觀世音

藏書票設計：王金旭　版種：石刻版　尺寸：8.5 × 8.5(cm)

沙彌守戒自殺品（北魏）257窟

十王經圖卷
（敦煌紙畫）

乘象入胎（隋）278窟

天上人間

藏書票設計: 陳雅丹 版種: 絲網版、計算機版 S1.CAD 尺寸: 11.2 × 5.5(cm)

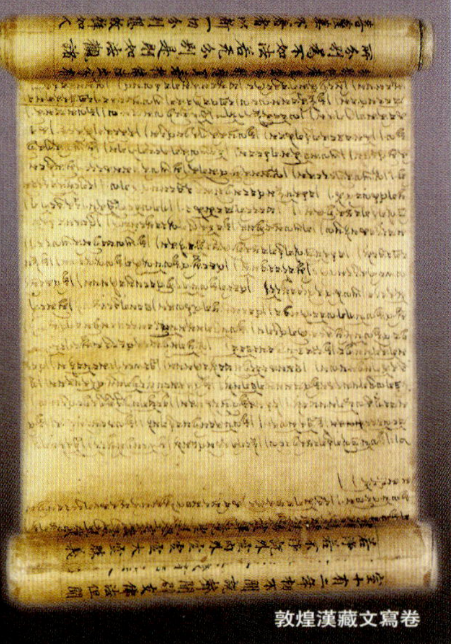
敦煌漢藏文寫卷

釋迦・觀音(敦煌木雕)

引路菩薩(敦煌絹畫)

第四樂章　遺書萬卷　石破天驚

"舞榭歌臺,
風流總被雨打風吹去。"
隨着藍色航道的隆重揭幕,
金色絲路的足音驟然稀疏。
陽關三疊,
曲終人散;
玉門紅柳,
枝敗葉枯……
你,敦煌,
絲路王冠上最璀璨的明珠,
從此也褪去昔日的繁華,
陷入無邊的寂寞。
六百年美麗的憂愁,
六百年輝煌的靜穆!
終于有一天,
一個意外的發現,
使你又一次
在歷史的大河激起驚天的風雨……

藏經密室

石室遺書

千手千眼觀音(敦煌絹畫)

阿彌陀如來坐像(敦煌雕版印本)

滄桑歲月

藏書票設計: 董紅雨　版種: 銅版飛塵　尺寸: 11.1 × 8.3(cm)

三兔蓮花藻井（隋）407 窟

羽人藻井（隋）420 窟

蓮花飛天藻井（北周）296 窟

尾聲　永恒的聖光

藍色的眼睛是天空，
黄色的皮膚是大地，
棕色的頭顱是山崗……
人類本來就是這樣
相互依存在同一個蔚藍的星球上。
然而，自從盤古開天地，
這個星球何曾有一天真正安詳?
呵，敦煌，
自從把你閲讀，
我的心裏生長出新的希望——
永恒的追求，不滅的理想，
創造的熱情，溝通的願望……
這就是人類永恒的聖光!
雖説山高水遠，天各一方，
畢竟有了那樣一次迷人的交往;
這首史詩的意蘊，
也許要超過人們的想象!
——看看那尊涅槃的大佛吧，
那是一個寓言，一個象征，
一個吉卦，一個瑞像:
今天的太陽落山了，
明天升起的太陽更鮮亮!
讓我們放開歌喉，
合唱一曲《敦煌交響》;
舉起雙手，
迎接二十一世紀那輪
光芒四射、噴薄欲出的朝陽……

涅槃大佛（吐蕃時期）158 窟

交脚彌勒菩薩(北凉) 275窟

"南大像"(盛唐) 130窟

唐僧取經圖(西夏) 榆林三窟

跋：讀敦煌

敦煌，中國的杰作，人類的瑰寶。她已因其特殊的價值而被聯合國教科文組織列入世界文化遺産名録。

在號稱信息社會的當今，不知道中國有個敦煌的人，大概已經不是很多了。但是真正"認識"敦煌的人，恐怕還不是很多。其原因，不僅是因爲她遠，遠在歐亞大陸腹地的茫茫大漠之中，更因爲她太博大，太豐厚，太深沉，要真正認識她，僅僅聽説、看看資料或遥遥相望都是不够的，你必須走近她，"讀"她，這種讀，就是中國古人所謂"讀畫"，那是不僅僅要用眼，而且要用心，要動情，要味，要悟……

一　據武周李懷讓《重修莫高窟佛龕碑》載，莫高窟開窟的經過是這樣的：公元366年(前秦建元二年)的一天，一個名叫樂僔的和尚雲游至鳴沙山下，杖錫休息間，忽見對面三危山金光萬道，宛如千佛降世。他老人家不知道三危山乃玉門系老年期之山，岩石呈暗紅色且富含礦物質，夕陽反射常作燦爛之光，却認定這是神佛顯靈，此地即爲他風餐露宿所要尋找之佛教聖地。于是他到處募捐，在鳴沙山開鑿了第一個石窟。據説因洞窟開鑿在沙漠中最高之處，故名漠高窟，后來叫成了莫高窟。

樂僔開窟看似神奇，其實并非偶然。西晋末年，北方大亂，史稱十六國時期。統治集團間的的頻繁攻伐給人民造成巨大痛苦，爲佛教的滋生蔓延提供了沃土。而敦煌，作爲絲路樞紐，佛教東漸時受其浸潤尤深。西晋時，即有號稱"敦煌菩薩"的竺法護在此譯經弘法。其弟子竺法乘亦"立寺延學"，廣收門徒。其后又有高僧單道開、竺曇猷等"忘身爲道"。"社會越黑暗，宗教越光明"，十六國時的五凉逐鹿，使佛國的憧憬，成爲敦煌人民心中五彩的夢境，爲圓夢而奮鬥的熱情是無法估量的。因此，樂僔開窟時還只是寒星一點，晨曦初露，北魏、西魏、北周即已如日出東山，彩霞滿天，至隋、唐則更是如日中天，光芒萬丈了。

據統計，現存十六國北凉時期的石窟爲七個，北魏至北周的石窟三十余個，而隋代短短三十余年間竟新開和重修七八十個，比現存樂傳至隋二百多年間所開總數還多一倍！唐代是敦煌藝術的全盛時期，至武周時已有“窟龕千余”，故莫高窟又稱“千佛洞”。現存唐窟二百多個。不僅數量空前，規模、氣勢亦達極致。其最突出的代表是高達34.5米的第96窟“北大像”和高達26米的第130窟“南大像”。五代至宋、元，薪火相傳，雖是黄昏時分，亦間有“無限好”之夕陽。

就這樣，千余年間莫高窟開窟一千多個。它們密密麻麻、錯落有致地布滿鳴沙山東麓的斷崖，上下五層，綿延數公里。現存歷代洞窟725個(含僧人起居參禪窟)，彩塑2415尊，壁畫45000余平方米。這些壁畫如按自身高度一字排開，將長達三十多公里。這是一個多么宏偉壯麗的佛教藝術畫廊！

從廣義上説，敦煌石窟是一個龐大的家族，除莫高窟以外，還有敦煌、安西境内的東千佛洞、西千佛洞、榆林窟、五個廟石窟。那些石窟裏，也保存有很多優秀佛教藝術作品。

二十年代的第96窟“北大像”(盛唐)

菩薩(西域雕刻)
佛陀立像(印度犍陀羅雕刻)

二

敦煌所以能成爲古絲綢之路上最璀璨的明珠、中國古代佛教文化聖地，是和它特殊的地理位置分不開的。

古代中國，東方與南方瀕臨大海，北面是冰天雪地，溝通歐亞大陸的唯有一條夾在祁連山和北山之間的狹長地帶——河西走廊。敦煌，作爲這個走廊的咽喉要地、西部門户，地位自然就更爲重要。所以，自從漢武帝以非凡的膽略派張騫打通西域，設敦煌等河西四郡，領五縣、扼兩關(陽關、玉門關)之后，作爲南北絲路總凑之地的敦煌，就頓時成爲中古時代最耀眼的“國際都會”。

漫漫黄沙，悠悠駝鈴。一支支駝隊馱走了中國的絲綢與中國的文化，同時也馱來了域外各種各樣的珍寶和形形色色的文化。就是在這樣的背景下，人類有代表性的中國文化、印度文化、波斯文化、希臘文化，有幸在敦煌迷人地交匯、激蕩，并最終催生了閃耀着人類智慧光芒的藝術奇葩——

佛教藝術在印度形成的時間要比佛教創立晚得多，其原因是佛教在創立初期没有偶像崇拜，人們不敢用有限的形體來表現佛陀的無限高大，而只用菩提樹、佛塔、舍利和佛足印等來象征佛的存在和偉大。是希臘人改變了印度佛教這個延續了幾個世紀的傳統。這些希臘人是公元前四世紀亞歷山大率領馬其頓軍隊東征時留下的希臘后裔。他們居住在今阿富汗北部的興都庫什山一帶。后來他們侵入印度河西岸的犍陀羅。公元前后，爲了淡化與信奉佛教的原住民的矛盾，他們用自己擅長的雕塑技巧，按照熟悉的太陽神阿波羅的儀容，爲釋迦牟尼造像。適逢貴霜王朝大力推崇佛教，希臘人破天荒的創造很快地得到印度佛教徒的認可，進而糅合印度及波斯的藝術手法，形成著名的犍陀羅佛教藝術。犍陀羅藝術形成以后，從大月氏越過葱嶺傳入我國西域地區，并很快與當地文化結合，産生了克孜爾石窟等西域風格的佛教藝術。十六國時期，傳入敦煌。

菩薩
（西域雕刻）

敦煌的沃土欣然接受了這顆奇异的種子。早期敦煌石窟藝術在內容結構、人物造型、壁畫表現技法等方面都直接受到西域石窟藝術的深刻影響，同時又從一開始就讓它按照自己的意願生長。例如宣揚佛祖偉大人格的犍陀羅《佛苦修像》，就因其形同骷髏，難以引起情感上共鳴，并有違于“身體髮膚受之父母，不可毀傷”的儒家道德觀念，而變成了“苦其心志，餓其體膚”具有人的感情、人的尊嚴的修道者形象……此后，隨着北魏后期中原風格的“秀骨清像”彩塑和我國傳統神話題材的出現，隋代經變畫的産生，特別是唐代菩薩的完全女性化，敦煌完成了完全中國化的佛教藝術體系的創造。

佛苦修像（北魏）248窟

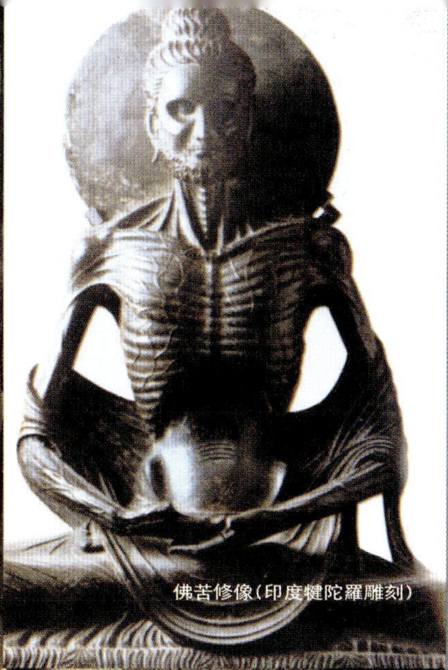

佛苦修像（印度犍陀羅雕刻）

“秀骨清像”菩薩
（北魏）248窟

西王母(西魏) 249窟

于闐公主供養像(五代) 61窟

回鶻公主供養像(五代) 98窟

這個藝術體系融合有衆多域外文化的因子，但已完全不同于它們。它屬于中華民族，但就整體而言，它也不完全是中原式的。這是因爲它生長在敦煌這塊神奇的土地，是由以漢族爲主體的西北各民族共同培育的。地理位置十分重要的敦煌，不僅是古代中西交流的必經之道，而且是我國各民族頻繁出入輪番演出的大舞臺。早在先秦，就有戎、羌、氐、大夏等民族在這裏生活、繁衍、争鬥、遷徙。漢武帝開拓河西，漢人成爲這裏的主體民族以后的兩千多年中，敦煌仍然至少有三分之一的時間是少數民族當家。塞人、月氏人、匈奴人、烏孫人、柔然人、鮮卑人、突厥人、吐蕃人、黨項人、回鶻人、蒙古人等等，都曾在這裏演出過威武雄壯的活劇。它們活動的空間有時甚至擴展到整個西北疆域以至中亞大地。他們在這種大規模的輾轉遷移中，形成了一種開放的混合型的文化。這種文化的直接參與，就使敦煌佛教藝術，成爲只有在敦煌才能看到的藝術樣式。在作爲主調的中原文化裏，生氣盎然地洋溢着我國北方民族雄奇的氣息和獨有的精神。“它開闊的境象，使人想起西北曠遠的天地；它華麗的窟頂，使人想到游牧民族的帳篷；它充滿動感的形象，使人想到那些游牧民族在馬背上飛馳的生活，它無所不在的旋律感和節奏感，使人想到從河西、到西域、再到中亞和西亞那無處不有的風情各异的音樂。”(馮驥才《人類的敦煌》)

正因爲敦煌石窟是在一千多年的歲月裏，由漢族與西北各民族、中華文化與外來文化共同創造的，它今天留給我們的就不僅是一份極其輝煌的藝術遺産，而且是一個極其寶貴的文化寶藏。張騫的足迹，班超的馬蹄，陽關大道的繁華，戍邊將士的哀怨，都成了飄散的歷史風烟，而敦煌石窟却是歷史的真實遺存。對過往千年生活的表現，其價值遠遠超過了被表現的生活本身。這長達千年的彩色圖像以及依然鮮活地存在于其中的真實生命，連同藏經洞的數萬卷遺書，無疑是一筆無限豐富無比珍貴的財富。它至少能爲研究者提供進入敦煌石窟藝術史、絲綢之路史、佛教東漸史、中國北方民族史、中西文化交流史，以及中華民族中古心靈史等歷史密室的金鑰匙。

維摩詰經變局部．吐蕃贊普聽法
（吐蕃時期） 159窟

東王公（隋） 305窟

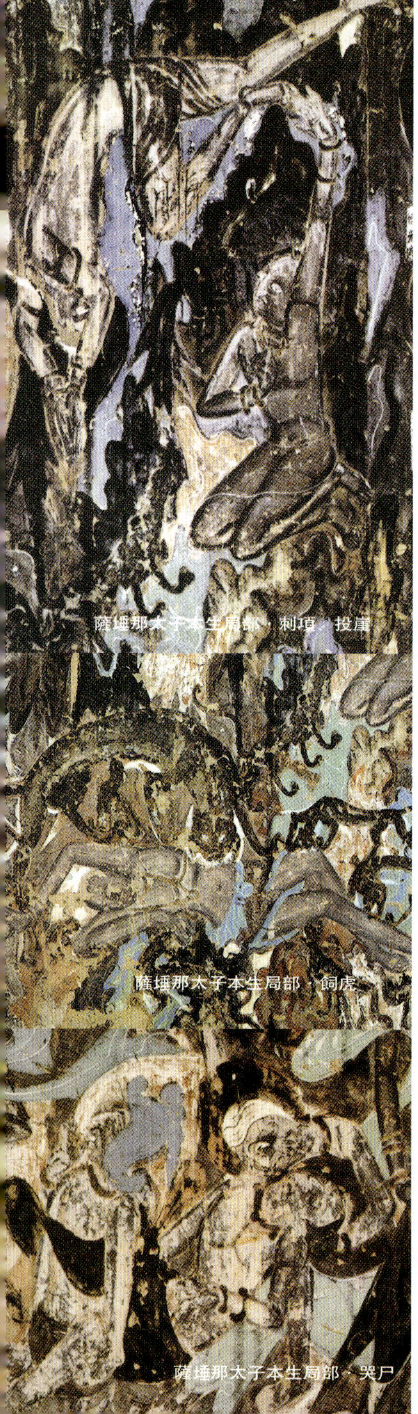
薩埵那太子本生局部·刺項·投崖
薩埵那太子本生局部·飼虎
薩埵那太子本生局部·哭尸

三

佛教藝術的根本宗旨，是以藝術的形象宣傳佛教教義，感化芸芸衆生。它成功與否的關鍵在于能否溝通人、神感情，給神佛以博大沛然的生命。而這種藝術的性質又决定它題材範圍的狹窄和限制的衆多。因此，創作佛教藝術，可謂是"帶着鐐銬跳舞"。敦煌石窟佛教藝術的輝煌成功，就在于那些無名的大師們，以對藝術的虔誠、文化的敬畏和驚人的智慧，在限制中求自由，在定則中尋化機。這集中表現在兩個方面。一是盡力融進本土的生活和自己的感情，并盡可能地拓寬題材領域，以非人間的方式展現人間的生活圖畫；二是調動一切藝術手段，把生命的感覺注入佛體，把人情帶進佛國。

敦煌石窟藝術是洞窟形制(建築)、彩塑、壁畫三位一體的藝術。佛塑是一個洞窟的中心，壁畫是主體內容。敦煌早期壁畫題材狹窄，主要是印度、中亞和西域的傳統題材：佛說法圖、佛傳故事和佛本生故事。其中以佛本生故事爲主。

所謂本生故事，即是指佛經及有關傳説記載的釋迦牟尼降生前所經歷的許多世代的事迹。佛教講"六道輪回"，凡有生命的東西皆永遠像車輪一樣在地獄、餓鬼、畜生、阿修羅、人間和天堂之間循環轉化。釋迦成佛前，自然也在輪回之中。只因他是聖者，成佛前的若干輪回中便積纍了很多善果。例如，"薩埵那太子本生"，講太子和他二位哥哥出游，見山中一虎爲饑餓所逼，將食自己剛生的七只幼虎。太子毅然决定以身飼虎，于是置身虎前，但虎因饑餓過甚，無力啖食。王子便爬上懸崖，以竹尖刺頸出血，投身崖下，以身飼虎。其兄弟十分悲痛，還宮苦訴。國王、王后趕來抱尸痛哭。最后收拾遺骨，起塔供養。"尸毗王本生"，説尸毗王爲了從鷹爪下救一只鴿，不惜割取自己的肉喂鷹。鷹提出條件：尸毗王所割之肉必須與鴿子同重。尸毗王身肉將净，其重猶不足一鴿，于是，舉身坐于秤盤之上。"須達拏太子本生"説，這位太子樂善好施，甚至把國家用于抵禦外敵的一匹神象都送給了敵人的間諜，因而被國王驅逐到深山裏。他却一路上又陸續把所有財物都施捨干净。到了山裏，又把兩個兒子綁了送給一個老而丑的婆羅門去做奴隸。"毗楞竭梨王本生"，講毗楞竭梨王心好妙法，有個叫勞度叉的婆羅門自稱能說法，但必須以在求法者身上釘千釘爲條件。毗楞竭梨毅然以超人的忍耐力承受了肉體的極大痛苦。"九色鹿本生"，講有一人落水將死，菩薩化身九色鹿相救。溺人感恩，鹿只請他勿泄露自己的住處。該國王后夢見一鹿，身毛九色，欲取鹿皮爲衣。國王懸賞捉鹿，溺人無耻告密。鹿無處逃脱，毅然到王前揭露溺人劣行。國王以鹿有功于人，放其歸山，并嚴禁再捕。溺人周身生瘡，王后恚憤而死。

薩埵那太子本生
（北魏）254窟

尸毗王本生
（北魏）254窟
尸毗王本生局部·哭親
九色鹿本生局部·慷慨陳詞

這些故事，其實多來自民間，非常曲折動人。敦煌藝術家們在表現它們時，又情不自禁地融進了自己的理解與生活，因而使這些壁畫，成爲非常富有人間氣息的感人作品。例如，第254窟《薩埵那太子本生》壁畫，從山間觀察開始，就着意刻畫薩埵那的善良英俊。隨即對他觀虎時的激動、刺項時的堅決、投崖時的勇敢、飼虎時的安詳，無不傾注了頌揚之情，十分令人感動。第254窟《尸毗王本生》壁畫，爲了拉近佛國與人間的距離，大膽地編造了佛經所没有的場面：尸毗王捐軀后，眷屬分爲兩排，前排三人跪地，越靠近尸毗王者形體越大，悲哀之情亦越濃。最前一人緊抱尸毗王尚未被切割的右膝，表情極爲痛苦，后面二人則不忍直視那殘酷的割肉場面，人間親情洋溢在佛國人物身上。第257窟西壁《九色鹿本生》壁畫，溺人告密場面細節相當生動：那個側身依偎在國王身邊的王后，回望宮外跪着之溺人，右臂撒嬌地搭在國王肩上，食指翹起，在國王肩上扣打，露出長裙的光脚晃動着翹起的拇指。這些細節，將其促使國王加害九色鹿的内心活動表現無遺。而畫中的九色鹿亦一反佛經中“長跪問王”的原意，昂然挺立于國王面前，控告溺人丑行，這裏顯然傾注了畫家的强烈愛憎。

藝術家們在表現這些外來題材時，還特别注意本民族的審美心理，在許多藝術處理上，遵循儒家“中和”爲美的原則，“樂而不淫，哀而不傷”，盡力表現真善美，而避免展覽血腥丑惡。如上述壁畫在表現薩埵那被虎啖食之后，未按佛經裏講的“血肉模糊，骨骸狼藉”處理，畫面上出現的仍然是完好而安詳的形體。同樣，尸毗王割盡了身上的肉，坐上秤盤的也不是血肉模糊的骨架，而仍是健康的裸體童子；割頭施人的月光王，頭割下放在盤子上，頸上仍然長着原來的頭，而且泰然自若。

盡管藝術家們對佛本生和佛傳故事的表現是有意味的、燦爛的，然而這些題材畢竟有它的局限，佛本生故事宣示佛的人格之偉大，佛傳故事宣揚佛的苦行和法力，這些自然能給人心靈以某種慰藉和對于來世的期盼，但來生畢竟渺茫，現世的善報也難以目睹身受，而且所付出的代價又是如此慘重。隋唐以來，宣揚現世成佛的大乘佛教風行于世，一種描繪整部佛經的巨型經變畫作爲我國佛教藝術的獨創形式應運而生。敦煌的藝術家們以極大的熱情，創造了許多規模巨大、畫風熱烈、莊嚴燦爛的經變畫，一掃前期壁畫的那種陰森抑郁。

第220窟貞觀十六年(642)宣揚西方净土的《阿彌陀經變》，是最有代表性、現存規模最大、保存最好的一幅。這幅壁畫面積達十八萬平方米。壁畫中部爲巨大的七寶池，池中以金沙布地。四周環通，雕檻圍繞。階道、樓閣以至樹上的花果皆由金、銀、琉璃等七種珠寶裝飾。寶池中阿彌陀結跏趺坐于中央蓮花座上，雙手作轉法輪印。觀音、勢至侍立左右。四周天人眷屬環繞。樂隊列于平臺，舞伎相對于小圓氈上翩翩起舞。仙鶴、鸚鵡、孔雀等珍禽奇鳥振動雙翼，應弦而舞。寶池上空，天女飛翔，天樂自鳴，天花飄墜……好一方“無有衆苦，但享諸樂”的西方極樂世界——“净土中的净土”!

藝術家們的想象真是豐富極了，他們幾乎把當時所能想象的一切美好事物都繪進了天堂，又把天堂富麗堂皇的描繪留給了人間。面對這樣的樂土，誰能不欣欣然而向往之!于是，經變畫成了苦難中的蒼生通向佛國的美麗的梯子。難怪盛唐時的《阿彌陀經變》壁畫竟有一百多幅!其他“彌勒變”、“藥師變”、“法華變”等經變畫也非常多。

九色鹿本生局部 · 九色鹿
與溺人（北魏）257 窟

西夏王供養像（西夏） 409窟

張騫出使西域（初唐） 323窟

近侍女（晚唐） 17窟

除了經變畫以外，敦煌藝術家們還逐漸開闢了佛教史迹畫、瑞像圖、供養人等表現領域。其中供養人最富現實意義。供養人早期多爲小身，畫于説法圖下方。到唐代，畫像逐漸增大，甚至出現了等身巨像。瓜沙曹氏時期，更有將一家幾代或節度使衙門的文官武將同列一窟。這樣的石窟就已不是單純的佛殿，而似乎兼有人間祠堂宗廟的性質了。最引人注目的是，晚唐時代的莫高窟中出現了供養人畫像的新形式——出行圖。第156窟巨幅《張議潮出行圖》是這方面有代表性的杰作。該圖高120cm，長1640cm，濃墨重彩地描繪了鼓吹、營使、旌節、儀仗、張議潮過橋等場面。人物衆多，場面壯闊，氣勢宏大，極具感染力。這幅壁畫，清楚地反映了唐代净土思想的流行，民俗佛教的發展。

張議潮出行圖（晚唐） 156窟

洪辯和尚(晚唐) 17窟

迦葉(盛唐) 千像塔

力士(盛唐) 194窟

莫高窟現存佛塑2415尊。從僅有十余厘米的小菩薩到高達三十余米的大佛像，萬千姿態，無一雷同，藝術家以驚人的藝術創造力，給佛國諸神灌注了豐富多彩的情感和生命。

堪稱國寶的第45窟一鋪七身的塑像，是最杰出的作品之一。這鋪盛唐塑像原系九身，龕外兩側力士塑像已毁。現存七身，按照佛教通常秩序縱向排列于深敞龕内。

這鋪彩塑的杰出之處，首先在于總體布局的藝術。由于受特定位置和姿態的制約，成鋪的群像很容易零亂、散漫和僵板。這鋪塑像以對立雙方各盡一致、相合相成的藝術辯證法，有效地避免了這種通病：釋迦居中，有主尊之崇高，但無凌人之霸氣，弟子菩薩侍立兩側，敬而不遠之，尊卑有秩却情感相依；大弟子迦葉的端嚴挺立與小弟子阿難的欹側從容，對比鮮明，老少呼應；左右脅侍菩薩的秀美身姿、嫻雅氣質和左右二天王的威武勇猛、正直堅毅，恩威并施，剛柔相濟。同時又獨具匠心地在龕壁上繪制八弟子、六菩薩、二天王，與彩塑相互補充，組成造型、服飾和色彩都渾然一體的“十大弟子”、“八大菩薩”、“四大天王”，使龕内産生雍雍穆穆、濟濟一堂的氛圍，虛實相間，氣韵互貫，既表現了“净土説法”的内容和完整場面，也彌補了由于佛龕局限而造成塑像空間深度不足的缺陷。布局如此之完整、完美，實在是難能可貴！當然，更令人贊嘆的，還是藝術家對這些塑像進行的有極高藝術水准的性格刻畫。

按佛經，佛有所謂“三十二相”，以及行住坐卧四威儀規定，因此，佛的形象是最容易無生氣而公式化的。這尊佛像則不然：豐滿的耳朵，長長的眼睛，微微呼吸似的鼻子，飽滿秀巧的嘴唇，豐腴的下頜，寬碩的胸膛，無處不顯示着佛陀“大慈大悲”的性格特征。他端坐在八寶座上，袈裟隨身垂落，莊重肅穆中略帶着松馳，既顯示着佛的尊嚴，又流露出與徒衆、蒼生的親近，全然没有想象中的那種肅穆森冷。

佛像一鋪(盛唐) 45窟

菩薩衣飾
（初唐）205窟

迦葉袈裟背面
（初唐）205窟

佛教中對菩薩、弟子的規定要少一些，因此敦煌石窟藝術中塑造迦葉、阿難、觀音、大勢至以及天王、力士的佳作要更多一些。

佛左側大弟子迦葉在天竺原出婆羅門種姓，爲釋迦首席弟子。佛涅槃后，他是第一任掌法藏的長老，號稱“頭陀第一”。過去一般將他表現爲清癯衰老的老僧，但這個迦葉完全跳出了類型化的窠穴，具有鮮明的個性特征。由于他長期向群衆講法論經，塑像强調了他的顴骨與嘴唇，略含苦澀譏諷的嘴角，顯示出雄辯的口才，在豐滿的頭顱下眉頭緊蹙，深沉收斂的目光顯示出成熟的思索。挺直的鼻梁，凛冽的風骨表現出這位僧人非凡經歷所鑄成的復雜性格，既有一種令人凛然生畏的權威氣派，又有一種赤誠深摯的菩薩心腸。

佛右側小弟子阿難，頭部稍俯，臉上露出缺少主見的微笑。雙眼甜潤，神情憨厚，有情有欲。這種微妙的描繪，使人們看到了許多内在的東西，看到了一部關于他的“傳記”。“這身塑像不僅表現了阿難的一般特點：‘侍者’、‘多聞第一’，而且把他作爲皇室成員的嬌嫩氣質與忠厚、腼腆、羞澀的‘漏未盡’和‘在學’種種特征作了深刻的探索和充分的表達。觀賞這身塑像時，我們會聯想起他在佛陀身邊的許多經歷，在《維摩詰經》裏，他曾因佛陀感疾，晨起持鉢去婆羅門家乞乳，遇到維摩詰的非難，表現出囁嚅不語、進退兩難的難堪情景；在《佛説摩鄧女經》中阿難在河邊乞水，被摩鄧女誘至家中逼迫與之結婚，他倉皇逃走的尷尬情景；在佛涅槃后，大迦葉第一次結集經藏，千僧赴會，迦葉唯獨説阿難‘漏未盡’、‘結未盡’，没有資格參加大會，并當衆數説了他許多缺點、錯誤之后，親手把他牽出會場，使他悲泣、慚愧、無地自容……。”(史葦湘《珍貴的敦煌彩塑》)阿難這個形象顯然是根據當時沙州現實人物塑造的。如果給他戴上幞頭，穿上青衿，也許就是當地某豪族的世家子弟了。

按照佛經，菩薩本是無性的，在我國敦煌等地的佛教藝術中，却越來越女性化，至隋、唐則完全是傾國傾城、慈悲爲懷的東方女性了。菩薩的女性化，使佛教更具人情味，是佛教中國化的一個主要標志。所以如此，是有深刻的社會歷史原因的。在飽經苦難的古代中國人心目中，真善美是互爲一體的。現實生活中的種種不幸，使信仰者把他們崇拜的菩薩想象得非常慈祥，非常美麗。只有這樣美麗温柔的菩薩，才能有“慈悲爲懷”的氣度和“普渡衆生”的神通。而觀音菩薩所以在佛教世界裏作爲“美”的化身、“善”的代表、“真”的存在而被特殊崇信，也是有特殊原因的。早在北凉時，就有沮渠蒙遜傳播觀音崇拜、曇摩羅讖單獨傳播《觀音普門品》。后來，唐宣宗曾下令全國寺觀都畫觀音像，觀音崇拜就更蔚然成風了。莫高窟成功地塑造了許多風姿翩翩、體態温柔、顧盼之間向人們投以無限深情的觀音像，使當時衆多信仰者對《觀音普門品》中所説的觀音種種善行深信不移。這些觀音像和其他一些特别精美的菩薩像，“給人的印象簡直就是真實的生命”，他們“和米洛的維納斯相比，在神情、體態、肌肉和衣褶的塑造許多方面有奇妙的相似，而從總的藝術水平來説，也應該是并不遜色的”(施娉婷、舒學《莫高窟概况》)。這一窟作爲主尊左右脅侍的觀音、大勢至身段秀美，氣度嫻雅，面相豐腴，肌膚潔白如玉。修長的眉眼微微下垂，表現了無限的明澈、智慧、温柔而又不可褻瀆。小小的嘴，唇角略帶微笑，似在親切地傾聽人們的祈求。她們頭部微斜，全身重心落在一只脚上，腰部微扭，全身成“S”形一波三折節奏鮮明的動態，那團衣密綉的錦裙和精心設計出來的衣褶綫條，隨着身體輪廓變化而輕輕起伏，猶如音樂的旋律，處處生動逼真之極地透露出菩薩特有的温柔和慈愛。更富有魅力的是，她們微笑傾斜的頭部和緩緩微舉的手，似乎在輕聲細語地

迦葉 45窟

阿難 45窟

招呼龕下的祈禱者，僅僅這一主動迎人的姿態，對當時的信仰者就是無聲的允諾、無形的安慰……你已經很難說清，她們究竟是佛國的神還是大唐的人了。

這鋪塑像中守護在門口的二位天王，也是敦煌充分表現了中國男性剛毅力量的優秀作品之一。北側天王雙眉緊鎖，兩眼怒視前方，左手叉腰，右手揮拳，頭部側轉，俯視下方，全身內馳外張，呈一種向外暴發的動感。南側天王身軀魁偉，氣勢威武，右手叉腰，左手握拳平舉，一張一弛，造型真實生動。他們身上透着盛唐時代武士的勃勃英氣，威嚴勇猛而又正義凜然，這與清末民初廟宇中那些被誇張得令人可畏的惡神厲鬼式的天王、力士雕塑，實在不可同日而語。

另外，藝術家們以精湛的藝術手段所作的極其成功的質感描繪，也大大地增强了彩塑的生活氣息和藝術感染力。如第205窟菩薩和迦葉的服飾就逼真之極，精彩之極。

觀音菩薩 45窟

希伯來文罪符斷簡(敦煌寫本)

于闐文金光明經(敦煌寫本)

被盜走的敦煌刺綉

四 在公元十一世紀中葉，西夏占領瓜州后，征發百姓去進攻宋朝，敦煌日趨衰落。宋、元時，海上絲綢之路和北方草原之路相繼開通，敦煌被弃置一旁。明代劃嘉峪關爲界，敦煌更成爲邊外荒凉之地，莫高窟漸被風沙埋没，被人遺忘。清末時，只有一些和尚、道士在附近的寺廟臨時居住。

清光緒二十六年農歷五月二十六日(1900年6月22日)清晨，莫高窟道士王圓箓雇人清掃第16窟甬道的積沙時，偶然發現甬道裏有一處壁畫后面像是空的。夜間他們剥去壁畫，去掉封泥，發現果然是一個小窟，裏面堆滿了各種古籍和經文寫本、絹畫、法器、石碑、佛塑等。這就是現在編號爲第17窟的藏經洞。

據考察，該窟原爲晚唐敦煌佛教教團首領洪辯和尚所鑿之參禪耳室，洪辯圓寂后，此處成爲紀念他的影窟。至于何時因何原因這裏成爲藏經洞，又于何時因何原因被封閉，這已成爲文化史上的千古之謎了。

藏經洞的五萬卷藏品，學術界稱之爲“敦煌遺書”。其文物價值、文獻價值是無法估量的，僅僅因爲這些文獻被完整地保存了一千年，即可稱之爲稀世之寶了。可惜的是，它的發現者原籍湖北務農出身的王道士，無法知道它的價值。他只是將其當古董換回錢來維修石窟。時任甘肅學臺的金石學家葉昌熾倒是首先發現了這些文獻的學術價值，建議將其運至省城蘭州保存。可是，當時在八國聯軍的槍炮面前，晚清王朝連自己的首都北京都保不住，哪還有心思去搶救這些在他們看來就像廢紙一樣的文獻!這就爲那些正在中國大西北尋寶的外國探險家、考古學者提供了機會。

1907年，英國人斯坦因來了，他用區區四塊馬蹄銀，就換取了滿滿二十四箱寫本和五箱絹畫、刺綉等藝術品。這一“豐功偉績”使他獲得“印度帝國騎士”的稱號，得到英國國王在皇家覲見廳的親自接見和封爵。

1908年，法國人伯希和來了，也是只用區區五百兩白銀就換走了滿滿十六箱藏經洞寫本的菁華!

直到1909年9月，伯希和在北京展示敦煌部分珍本，引起北京學界的震驚，羅振玉等著名學者上書清朝學部，清政府才電令陝甘總督將所剩敦煌寫本送京。似乎早有准備的王道士，又私藏寫本數百卷，后來賣給了日本大穀探險隊的吉川小一郎和橘瑞超。而奉甘肅布政使何彦升之命負責押運僅剩八千多卷文獻的押解委員，一路漫不經心，到京后又將大車先拉進何彦升的宅院，伙同何家親友竊取珍品，然后將長卷切割多塊以充數!

迎佛圖(初唐) 323窟
被華爾納破壞的壁畫

華爾納

斯坦因

在藏經洞中

藏經洞口

北京大學館藏敦煌文獻和部分早期敦煌學研究成果

其后，1914至1915年間，又有俄國奥登堡來藏經洞測繪、掘地，獲文獻萬件以上。1924年，美國人華爾納來莫高窟，見藏經洞珍寶已空，竟用特制的化學膠布粘走壁畫26塊，偷走精美彩塑一身！敦煌遺書的精華就這樣被浩劫一空！僅就目前所知，英國圖書館東方寫本部藏敦煌文書13677卷；法國巴黎國立圖書館藏有敦煌文本書6000余卷；俄羅斯聖彼得堡亞洲東方學研究所藏有敦煌文書18000多號 英國印度事務部圖書館藏有敦煌藏文文書765卷；英國博物館、法國吉美博物館各藏有敦煌絹畫數百幅；日本大穀光瑞、橘瑞超個人收藏敦煌文物1400余件……

“敦煌者，吾國學術之傷心史也！”（陳寅恪《敦煌劫余録·序》）文化盜寶者的世紀浩劫，深深地刺痛了中華民族泣血的心！

首先驚覺的是中國最高學府的學術良知。1909年9月伯希和來京展示敦煌文物，京師大學堂（北京大學原名）鴻儒羅振玉等聞訊即往其寓所抄録、拍攝，并做跋語和研究扎記，及時刊出。其影照復印件存京師大學堂藏書樓，成爲中國公立圖書館入藏敦煌資料之始。1910年，羅振玉據伯希和提供的照片，編成《石室秘寶》，成爲刊行敦煌影本之始。他其后的大量研究，使他成爲貢獻最大的敦煌學開拓者之一。1920年，北大教授劉半農赴法，抄出巴黎國立圖書館所藏敦煌文獻104種，出版《敦煌掇瑣》三册，在很長時間内成爲中國敦煌研究的史源。1925年，北大陳萬里先生代表北大國學門第一次赴敦煌實地調查，作《西行日記》，成爲中國第一位科學考察敦煌的學者。1926年，北大教授胡適，查閱法、英敦煌寫卷，編成中國禪宗史研究的劃時代著作《神會和尚遺集》。1934年，向達、王重民赴英法系統調查敦煌文獻，分别輯成《倫敦所藏敦煌卷子經眼目録》、《敦煌寫本書目》，并攝寫本照片數萬張，成爲此后中國學者研究敦煌的主要依據。他們二位也由此成爲北大乃至中國敦煌學的領軍人物。1942年和1944年向達兩次組團西行，使中國敦煌學走上了真正的歷史文獻和考古資料相結合的正路。1948年12月，北京大學五十周年校慶之際，舉辦敦煌考古工作展覽，成爲中國敦煌學研究第一高漲期的最强音符。由于中外學人的共同努力，敦煌學很快成爲一門世界性的顯學。（以上參見榮新江《北京大學與敦煌學》）

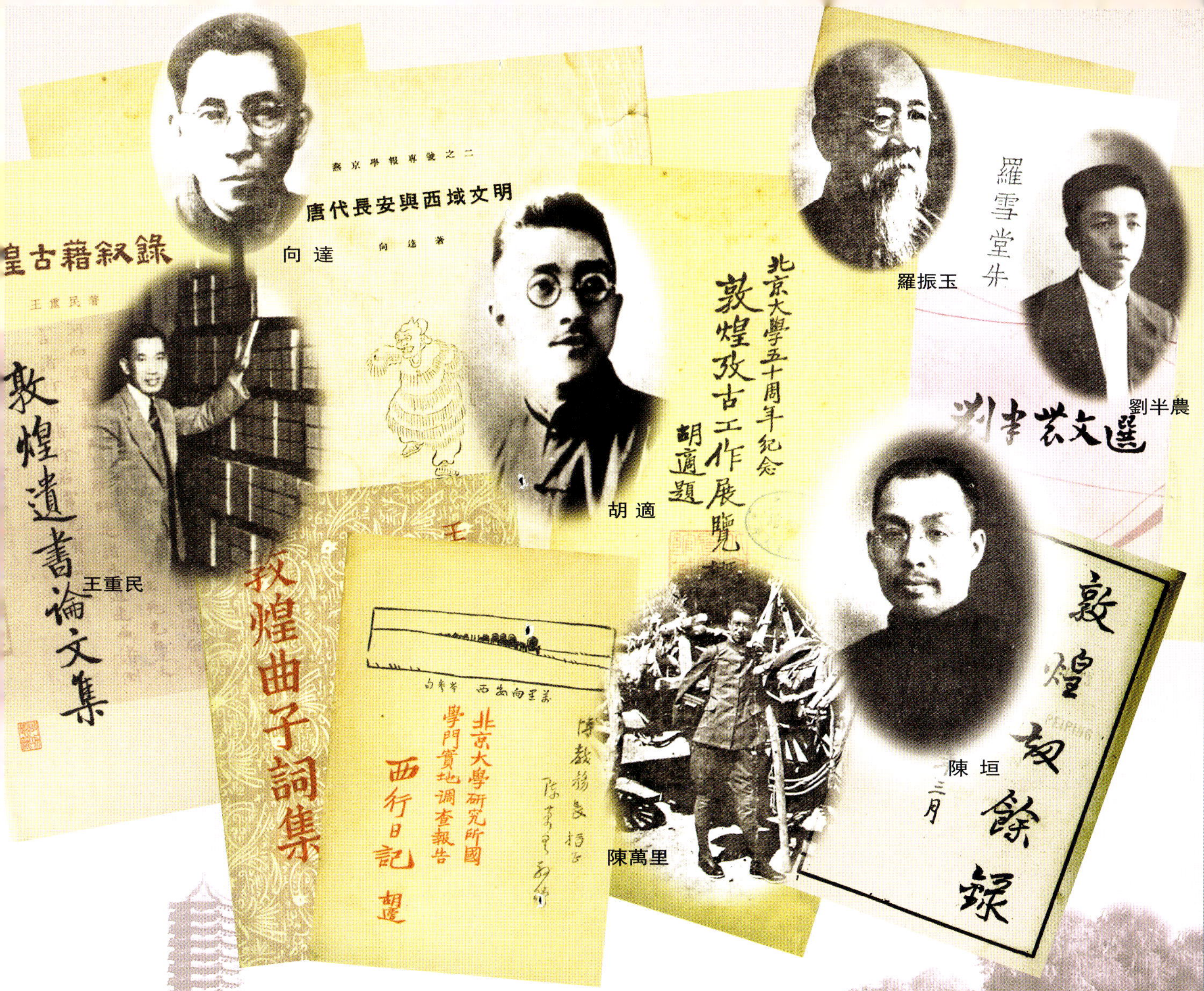

燕京學報專號之二
唐代長安與西域文明
向達著
向達
皇古籍叙錄
王重民著
敦煌遺書論文集
王重民
胡適
北京大學五十周年紀念
敦煌考古工作展覽
胡適題
羅振玉
羅雪堂先生
劉半農
劉半農文選
敦煌曲子詞集
北京大學研究所國學門實地調查報告
西行日記
陳萬里
陳垣
敦煌劫餘錄

中國敦煌學的開拓者們

張大千在臨摹壁畫

常書鴻在臨摹壁畫

敦煌研究院

緊跟着奮起的是中國藝術界的精英。四十年代，一批畫家毅然離家舍子，帶着文化責任來到當時清冷死寂的大漠絶地敦煌，在極其艱苦的條件下，用滿腔熱血和全部生命拯救敦煌，保護敦煌。他們中有被稱爲“開拓敦煌藝術中國第一人”的繪畫大師張大千，有被譽爲“敦煌保護神”的“國立敦煌藝術研究所”第一任所長常書鴻；還有著名畫家關山月、黎雄才、吴作人、謝稚柳、董希文、潘絜兹……人民不會忘記他們，歷史不會忘記他們！

新中國的成立，給敦煌和敦煌學帶了春天。五十年代，敦煌藝術研究所更名“敦煌文物研究所”，保護的責任更爲突出。八十年代，再度更名“敦煌研究院”，使之成爲一個龐大的全方位的將保護與研究合爲一體的學術機構。首任院長段文杰，繼任院長樊錦詩，和他們的同道一起，在新的歷史條件下，爲莫高窟重放光彩，爲敦煌再度輝煌，爲敦煌學的深入發展作出了無愧于敦煌、無愧于我們祖國和民族的卓越貢獻。他們的青春熱血匯進了中華民族偉大復興的洪流，古老蒼凉的“敦煌交響”因此而又更加激越昂揚！

五十年代爲敦煌貢獻青春的人們

五 敦煌是讀不盡的。

讀她，應該是一次又一次的，因爲她蘊藏了人類太多太多的夢想和太深太深的感情；

讀她，應該是一代接一代的，因爲她表達的是人類永恒的主題和世界永存的秘密。

今天，讓我們把目光和思緒暫時定格在這樣一個畫面——

第158窟巨型涅槃像，全長15米，表現釋迦在拘尸那城的婆羅雙樹之間，向弟子們講説了一晝夜《大般涅槃經》，然后“右脅而卧，汩然大寂”的情景。

佛經中説，佛的涅槃是佛國最重大的事件。此時，“海水揚波，大地震動，山崖崩落，諸樹摧折”，勢如天崩地滅。前來致哀的天國人物，有的强忍悲痛，有的舉刃自殘，有的號啕大哭，與這悲天慟地場面形成鮮明對比的是，釋迦螺髻整潔，眉輪舒展，安詳若睡。他巨大的身軀顯示了一片遼闊的寧静，他“寂天爲樂”的神態更是一種無可比擬的巨大精神力量。

特别值得注意的是，舉哀行列中的西域、吐蕃、突厥、回鶻及中亞康居、南亞緬甸等國王子，不再像《維摩詰經變》中那樣與中原帝王相峙而立，而是與頭戴冕旒、長袍大袖的中原帝王同向、同悲。“在敦煌以外所有的涅槃的場面中，不曾見到這奇特的景象!”(馮驥才《人類的敦煌》)這就是敦煌對人類的獨特貢獻之一。

由于地域和歷史的原因，世界各民族的文化遺産和文化傳統是不盡相同的。但對于今人來説，都是極可寶貴的。因爲正是它們的存在和相互間的交融影響，代表了人類的昨天，造就了人類的今天，也在實際上孕育着人類的明天。因此，敦煌不僅屬于甘肅，屬于中國，屬于中華民族，屬于昨天，也屬于世界，屬于人類，屬于明天!她的輝煌壯麗，她的博大深沉，曾撫慰過無數虔誠饑渴的心靈；對當今享受着前人文明成果的地球村公民，她依然是“美”的震撼、“善”的洗禮、“真”的拷問!在她面前，任何一個有良知和責任感的人，内心都將難以平静。從這個意義上説，本書的問世，或可視爲我們在新千年、新世紀、敦煌藏經洞發現暨敦煌學百年之際的感言。

願敦煌不老，世界長青，人類常醒!

是爲跋。

仰　止

二OOO年三月・北京大學

圖書在版編目(CIP)數據

敦煌交響: 紀念藏經洞發現暨敦煌學一百周年藏書票／陳雅丹主編。－北京: 北京大學出版社，2000.5

ISBN 7-301-04531-X/J·0070

Ⅰ。敦… Ⅱ。陳… Ⅲ。藏書票－中國 Ⅳ。G899

中國版本圖書館 CIP 數據核字（2000）第07316號

書名: 敦煌交響:紀念藏經洞發現暨敦煌學一百周年藏書票

著作責任者: 陳雅丹主編

責任編輯: 江溶

標准書號: ISBN 7－301-04531-X/J·0070

出版者: 北京大學出版社

地址: 北京市海淀區中關村北京大學校内 100871

網址: http://cbs.pku.edu.cn/cbs.htm

電話: 出版部 62752015 發行部 62754140 編輯室 62752022

電子信箱: zpup@pup.pku.edu.cn

承印者: 北京宏達恒智印藝有限公司

發行者: 北京大學出版社

850毫米×1168毫米 24開本 3印張 100千字

彩圖122幅（其中部分爲2000年新攝，首次發表）

2000年5月第一版 2000年5月第一次印刷

定價: 160元